l and i Start at

CW00705110

l l l l l l i i i i i i

on

l

Patterns Start at

m Start at

mill milk

m

n Start at

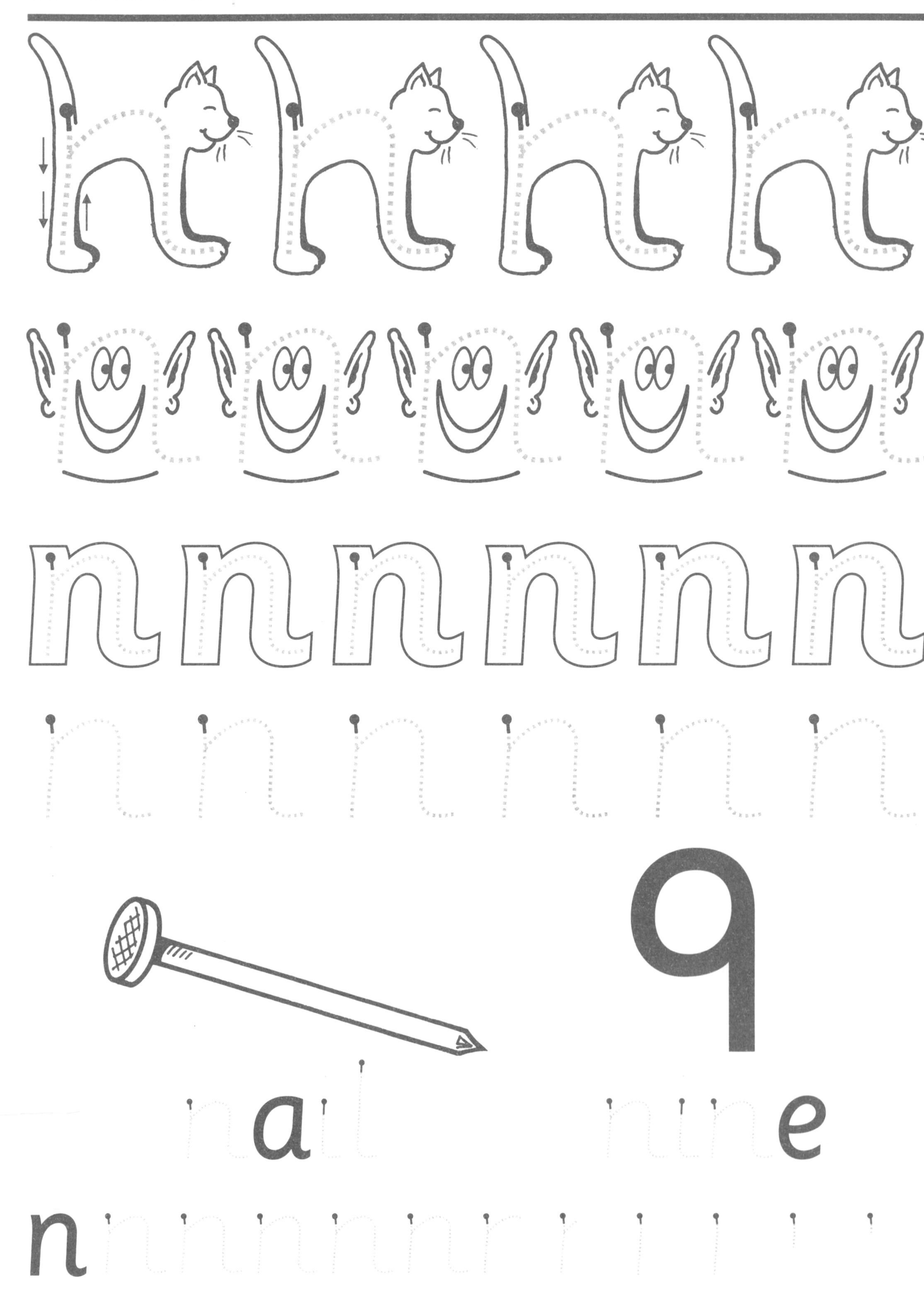

n

r Start at

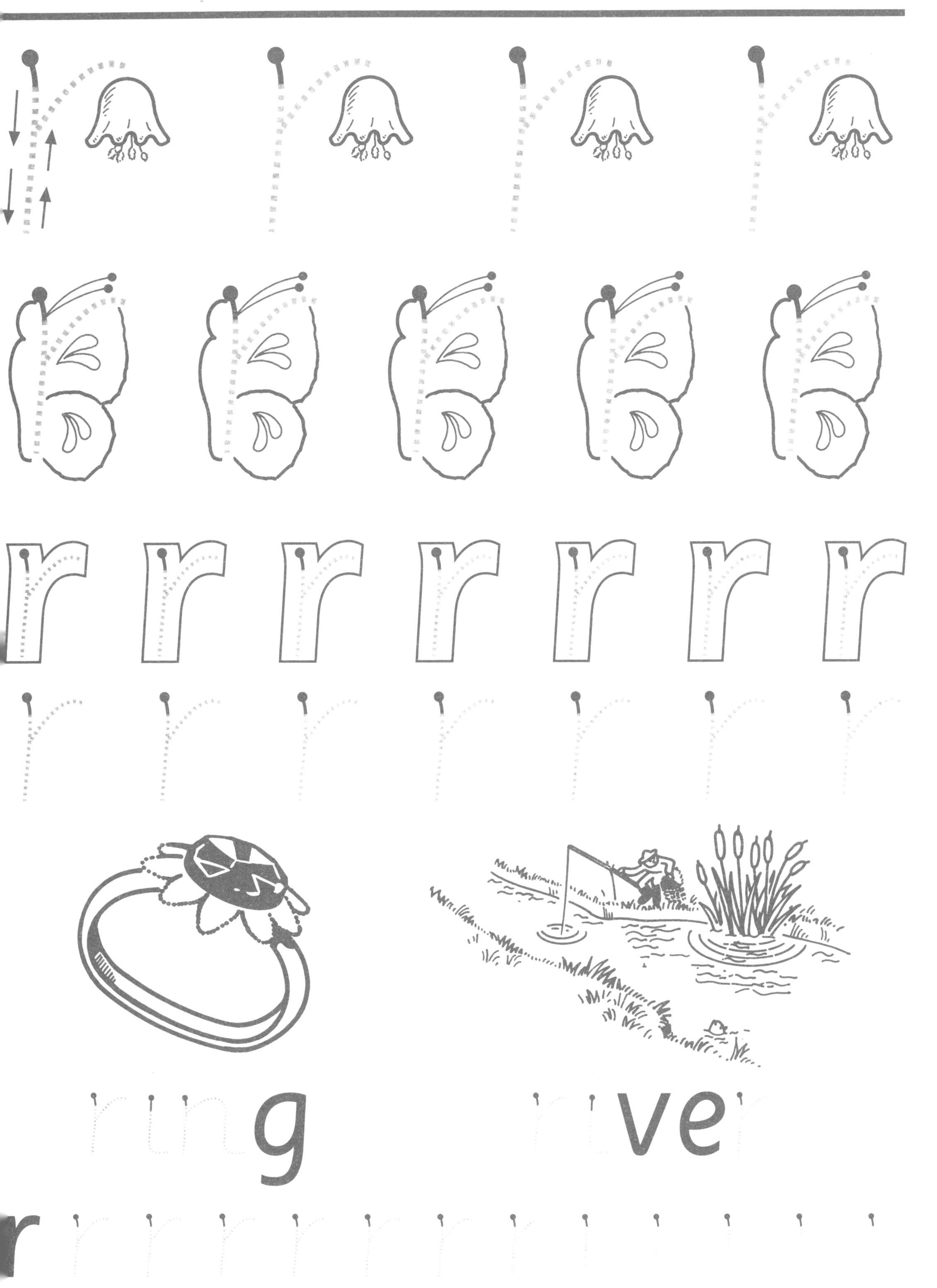

h Start at

b Start at

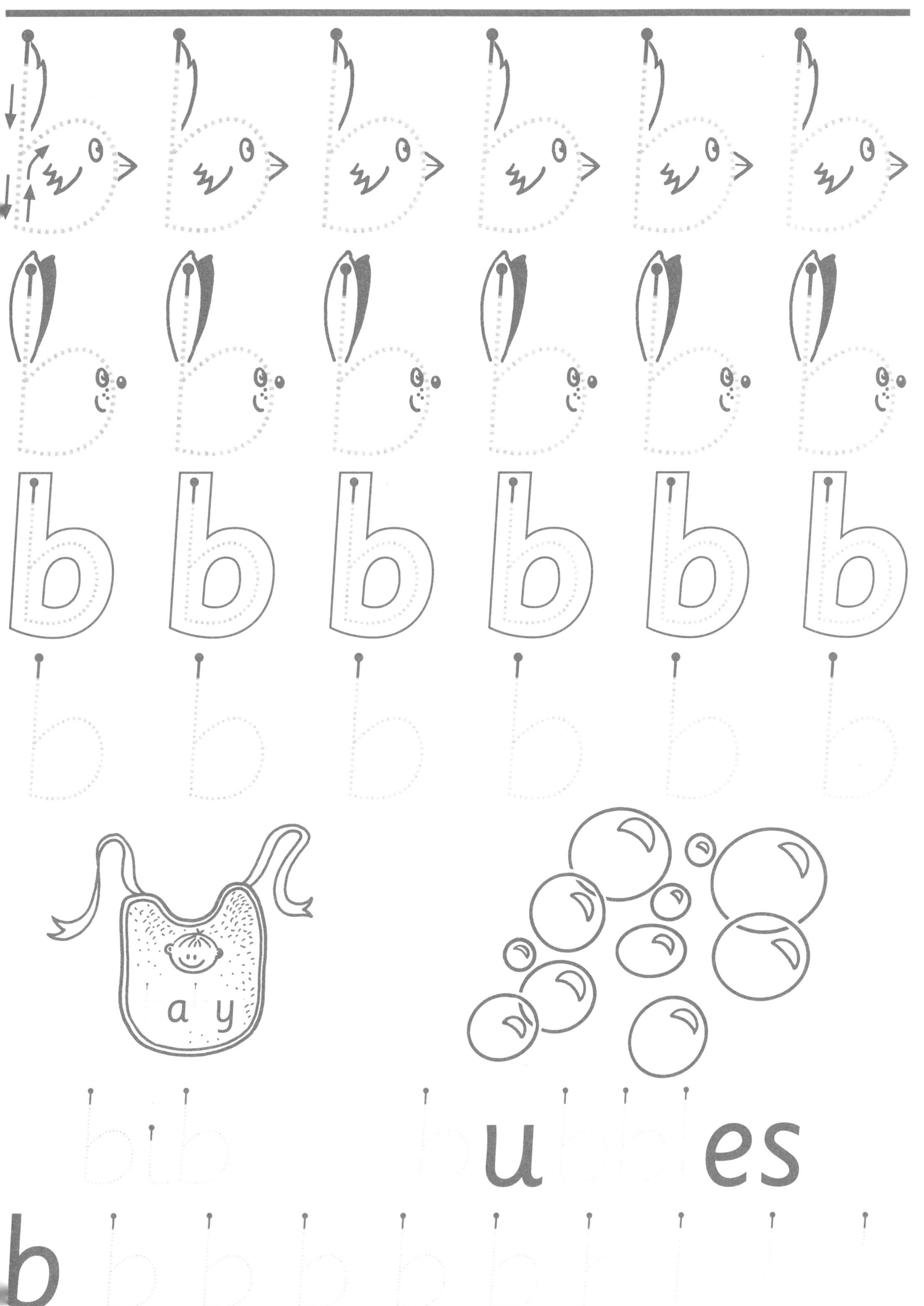

p Start at

Patterns Start at

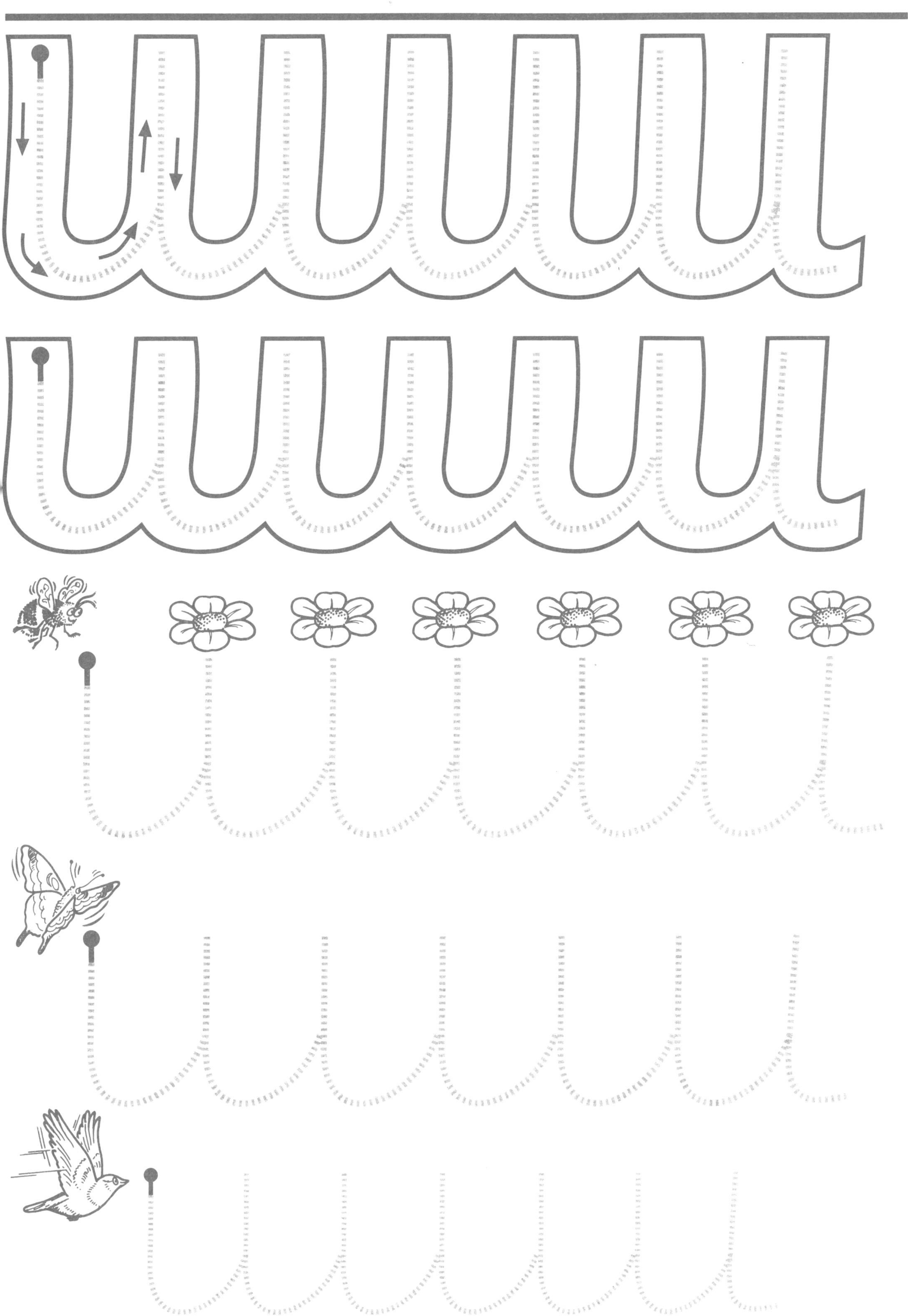

u Start at

t Start at

y Start at

j Start at

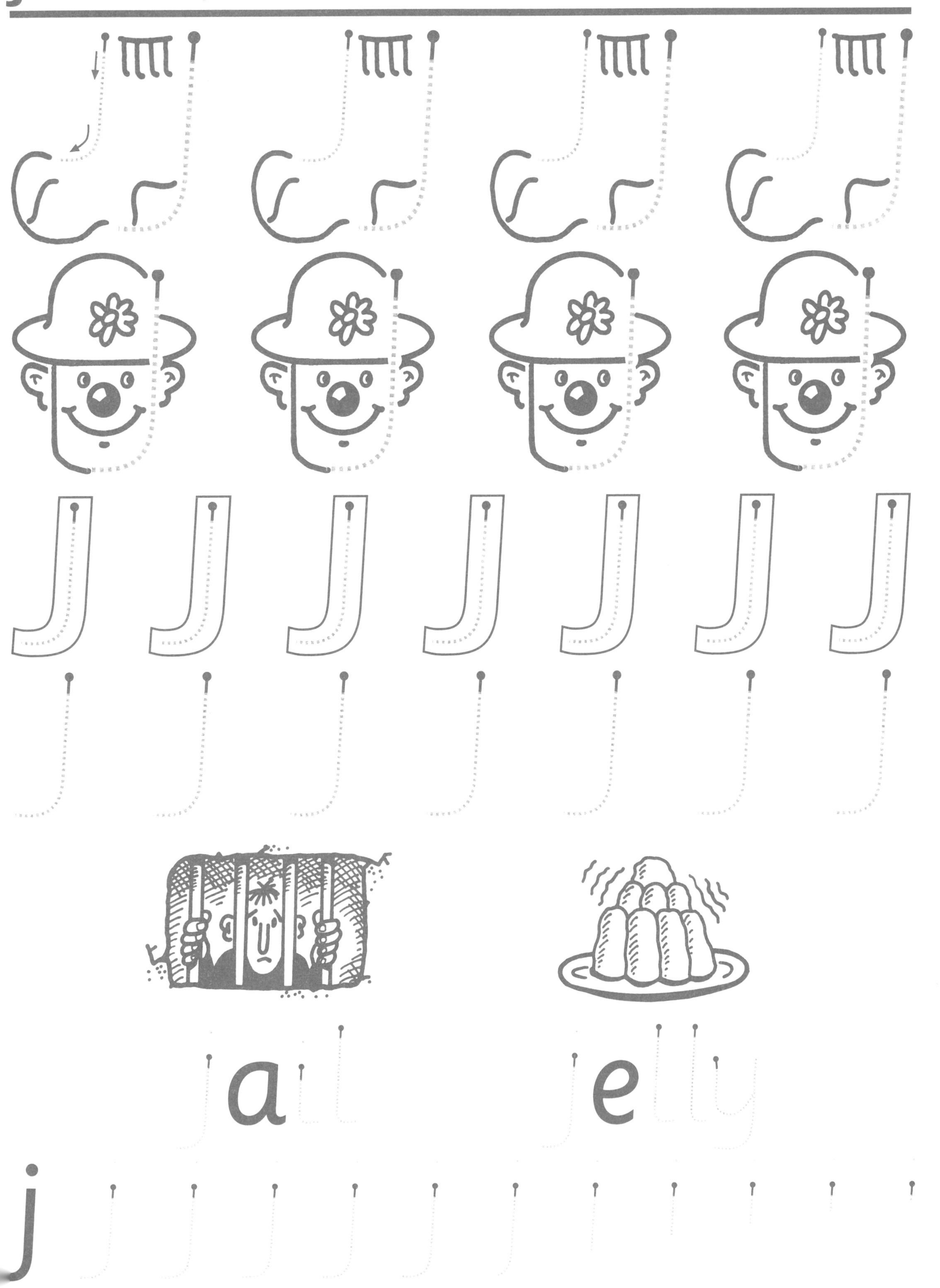

k and z Start at

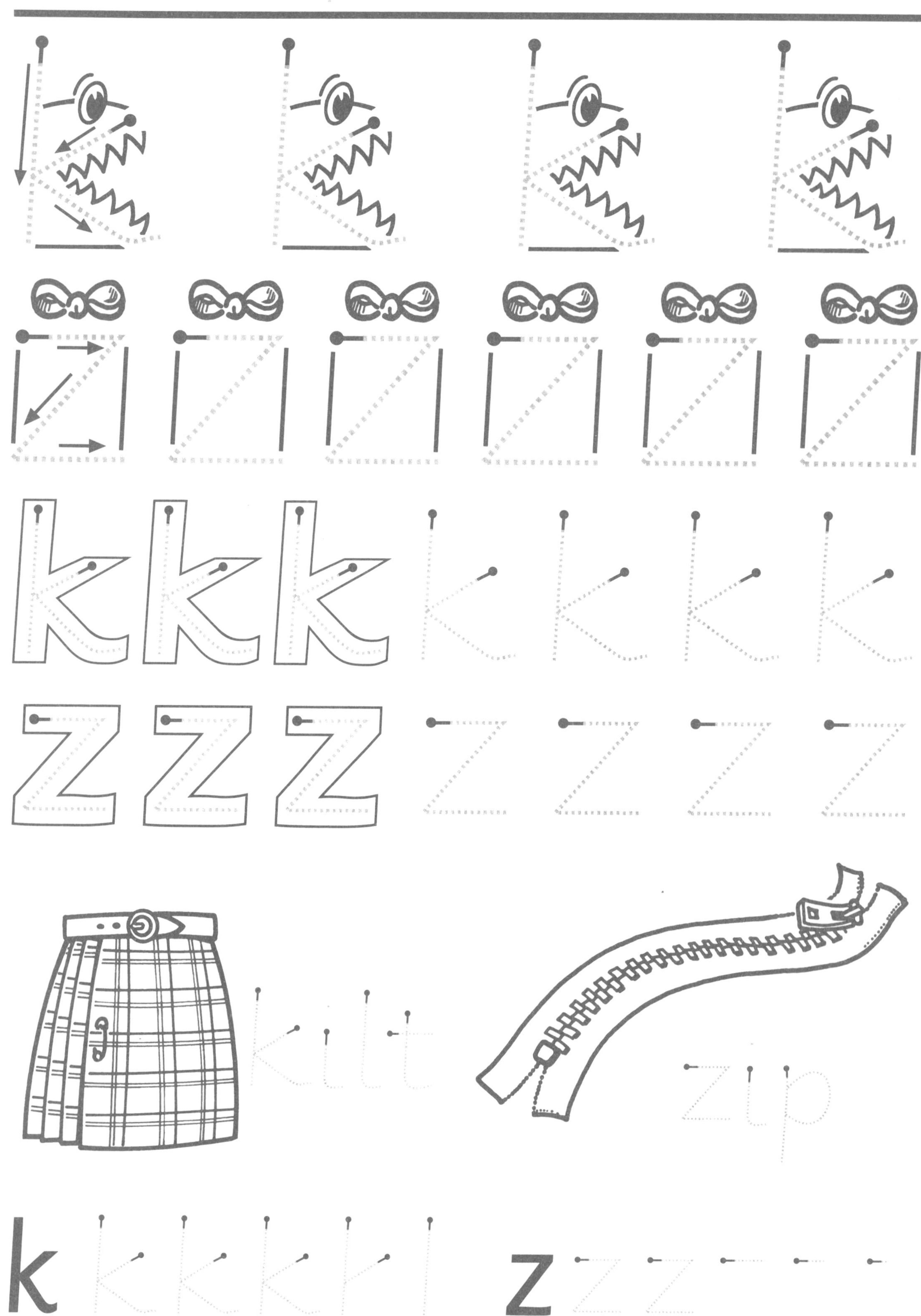

x Start at

Waves Start at

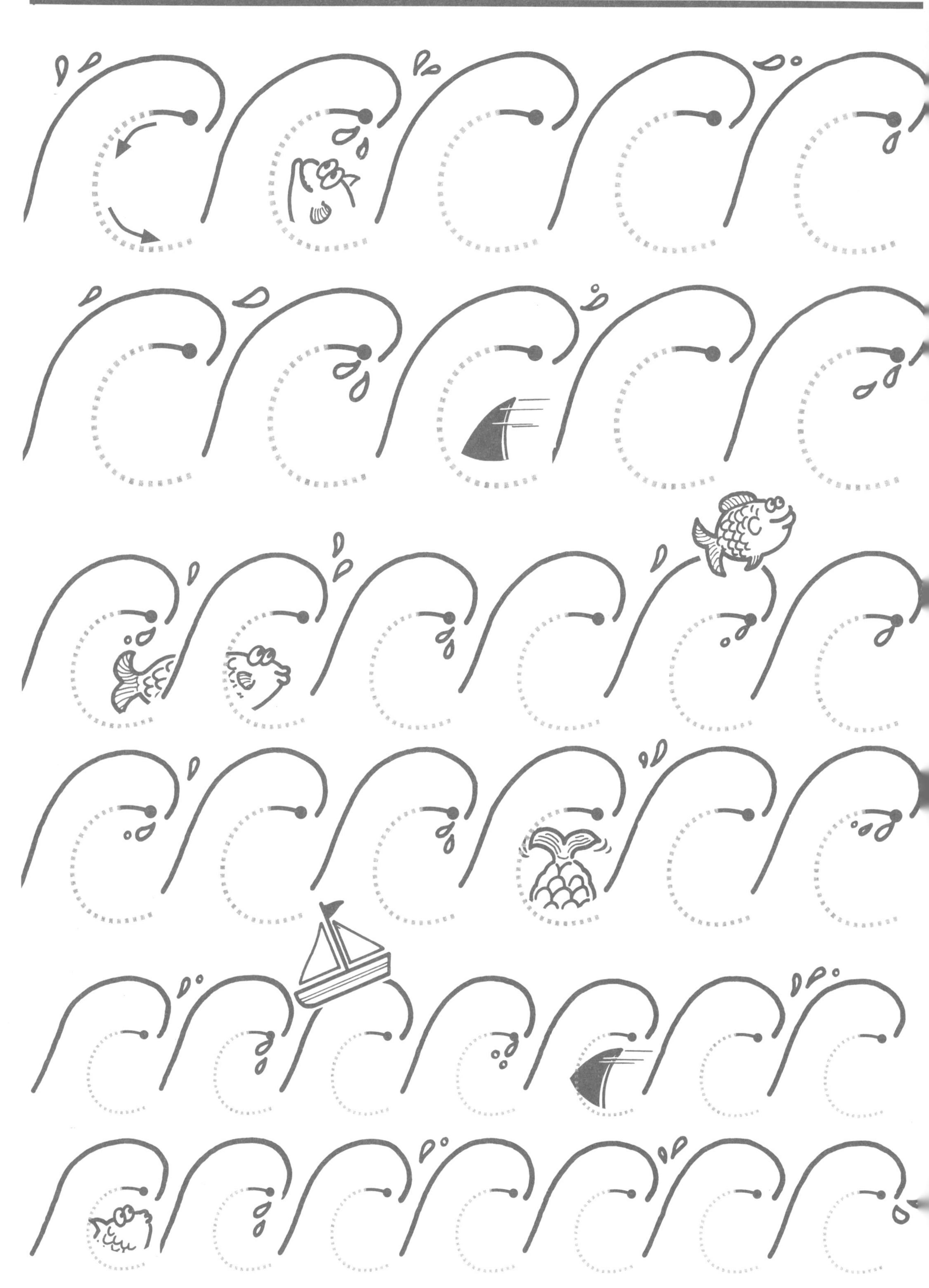

c Start at

Daisies Start at

o Start at

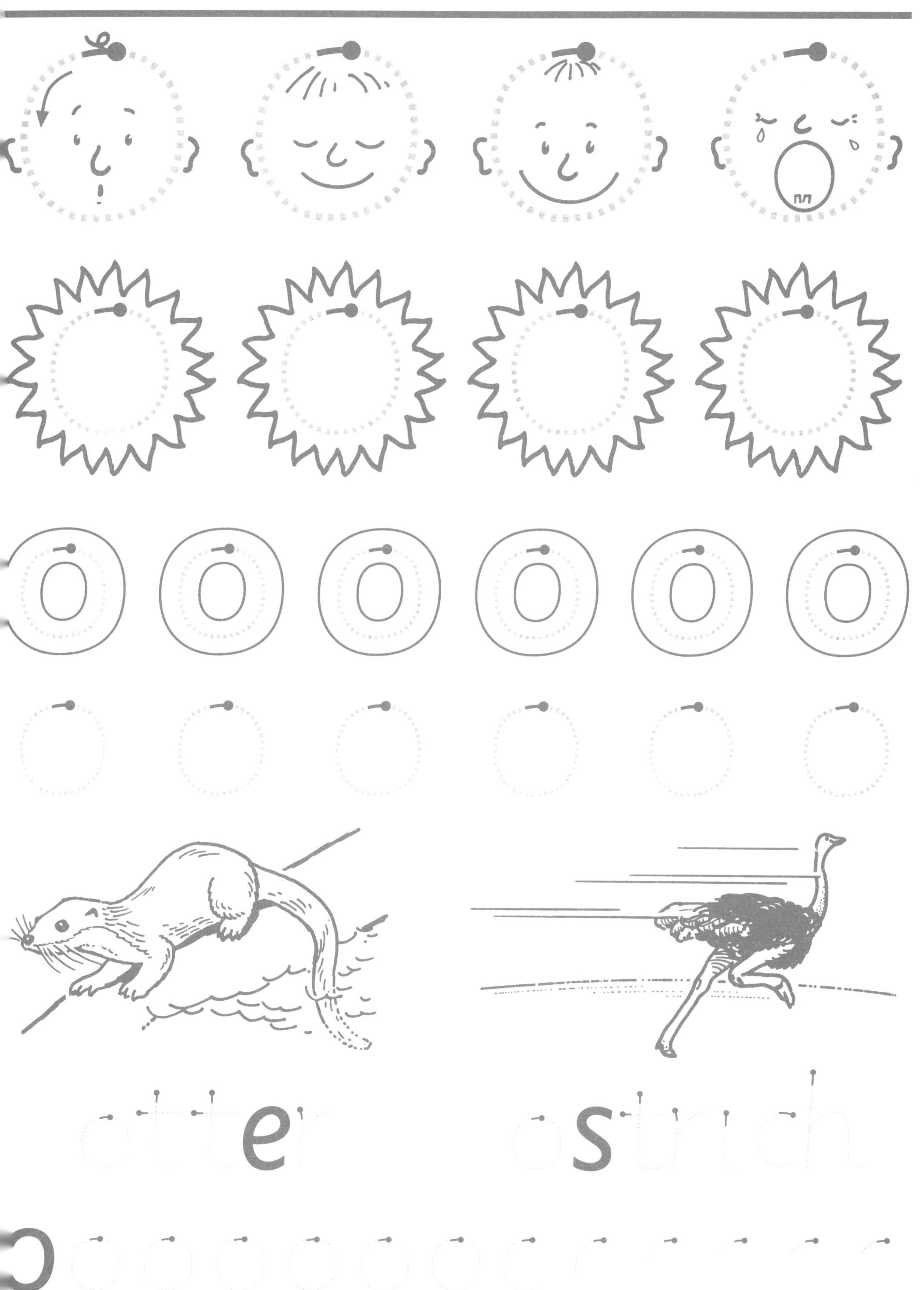

a Start at

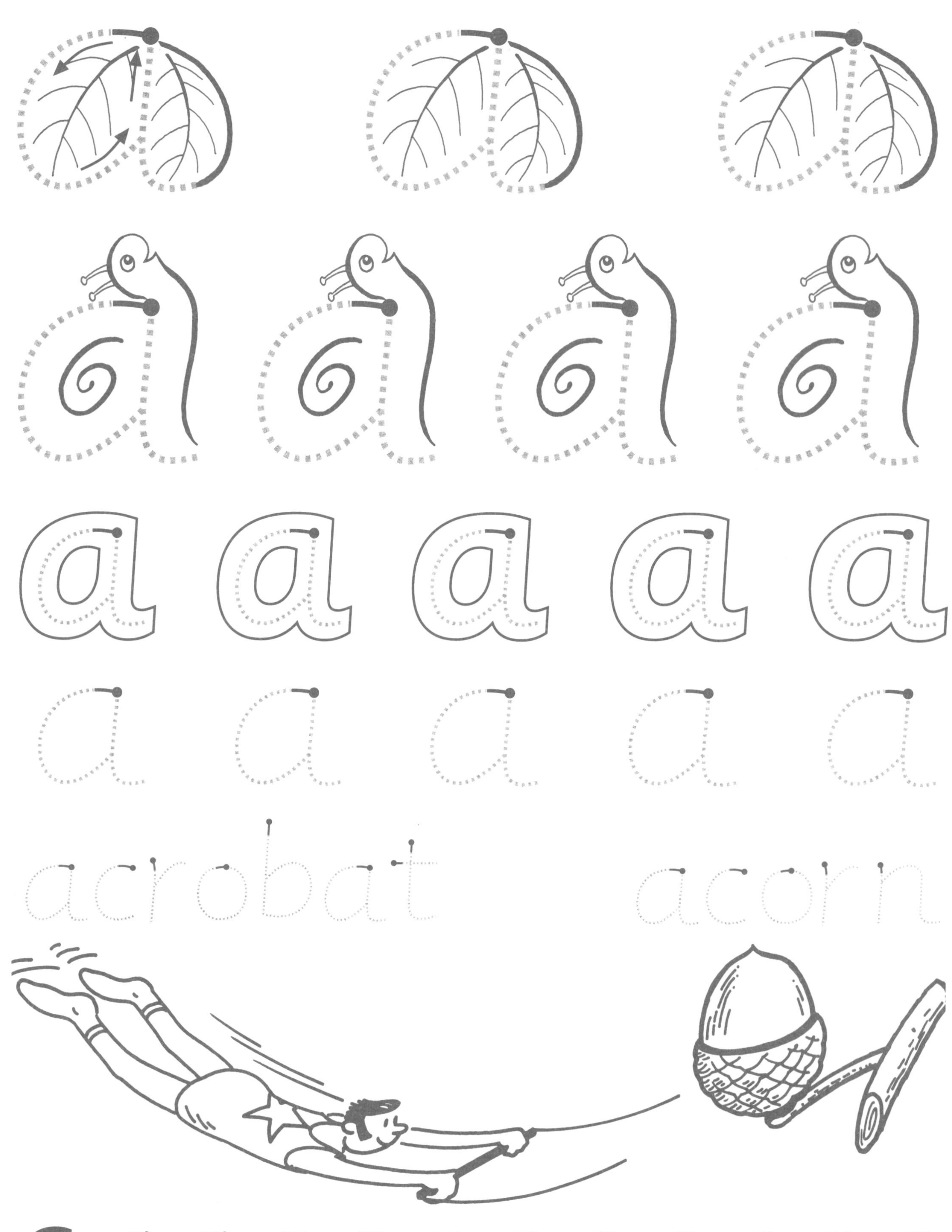

a

d Start at

g Start at

g

q Start at

s Start at ⸱⸱⸱•

s

f Start at

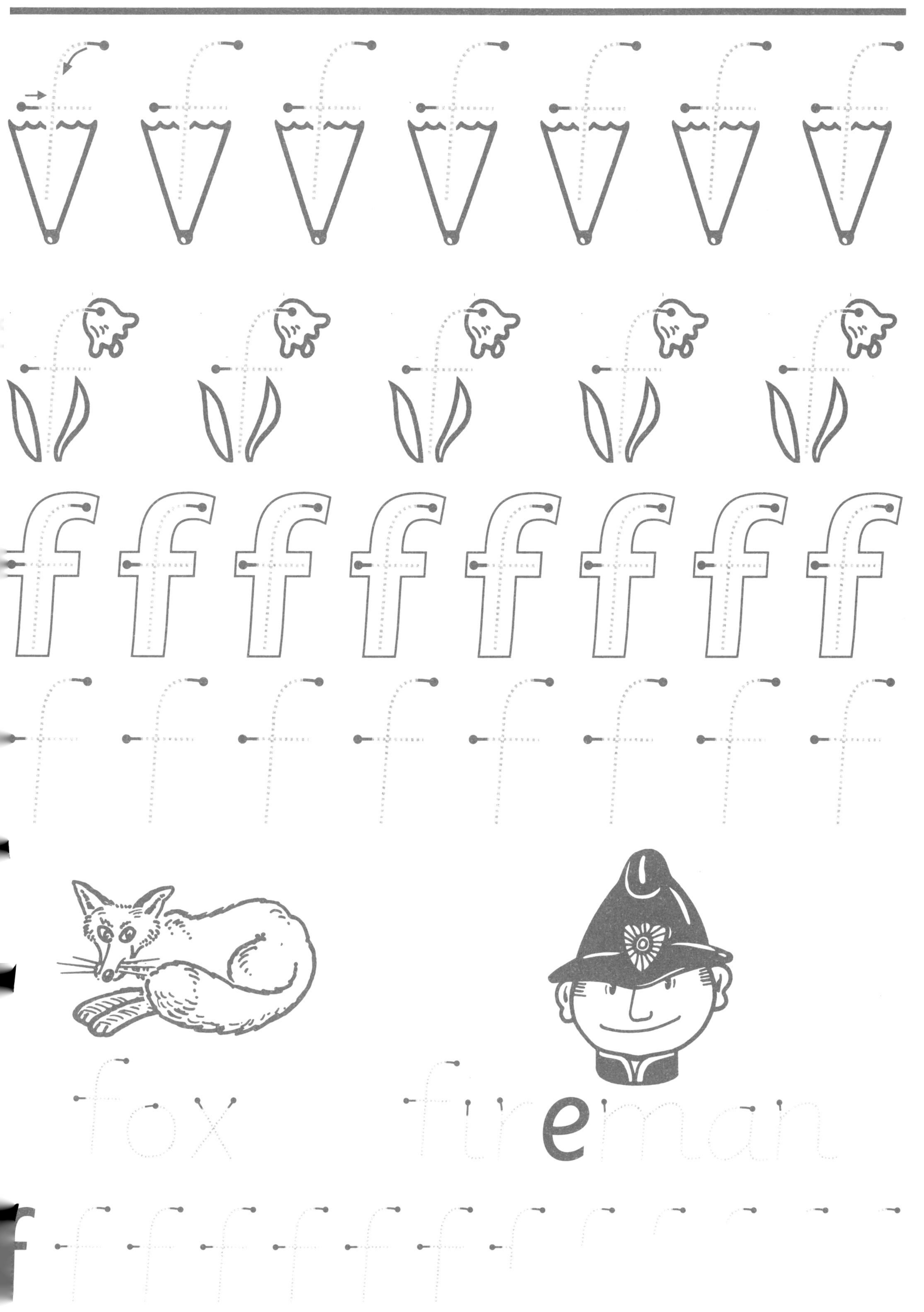

e Start at

 Start at ↘

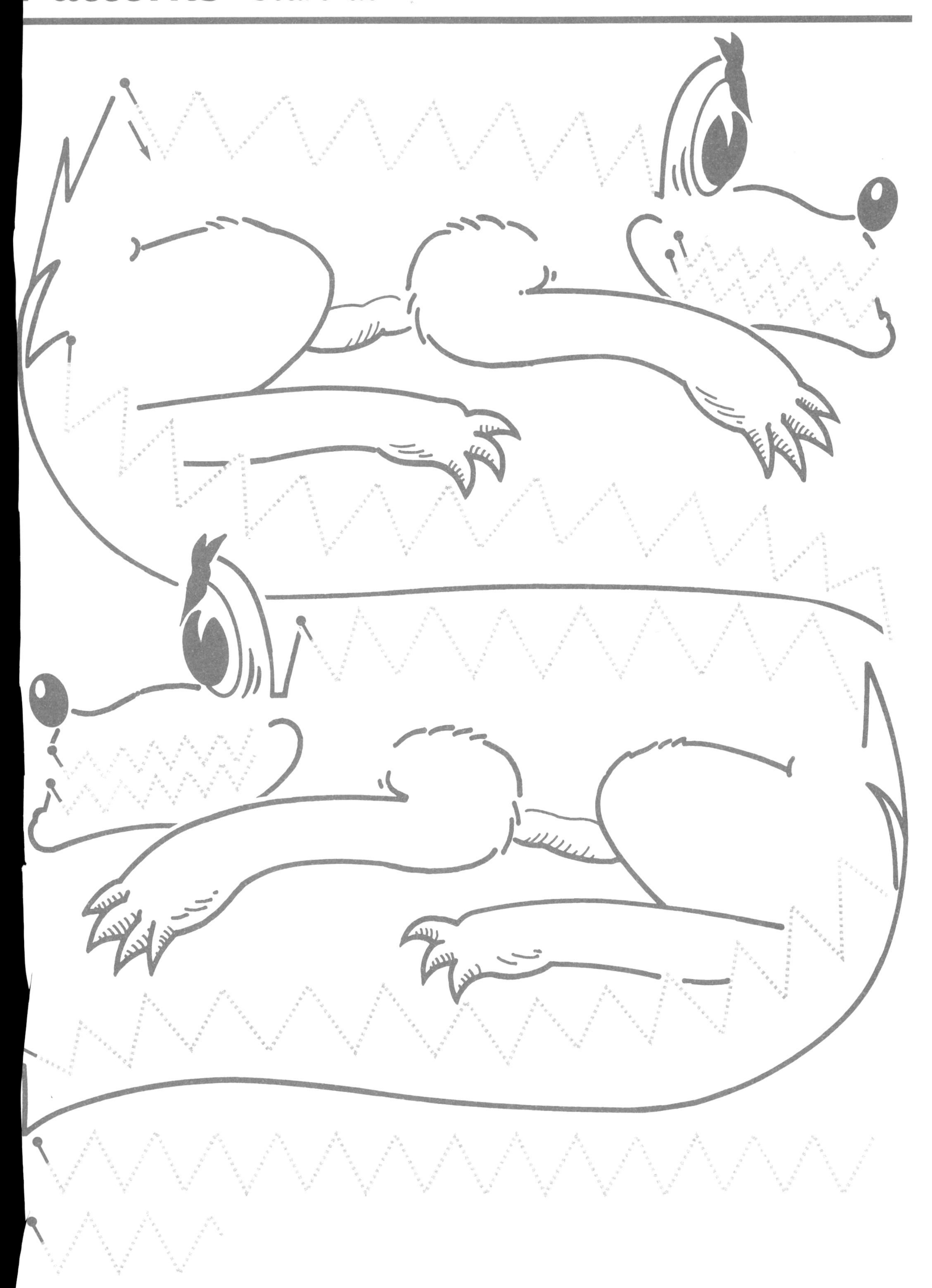

v and **w** *Start at*